Sermão expositivo

Sermão expositivo

A pregação como Palavra de Deus

JUBAL GONÇALVES

MUNDO CRISTÃO

Copyright © 2023 por Jubal Gonçalves

Os textos bíblicos foram extraídos da *Nova Versão Transformadora* (NVT), da Tyndale House Foundation, salvo indicação específica.

Todos os direitos reservados e protegidos pela Lei 9.610, de 19/02/1998.

É expressamente proibida a reprodução total ou parcial deste livro, por quaisquer meios (eletrônicos, mecânicos, fotográficos, gravação e outros), sem prévia autorização, por escrito, da editora.

Imagem de capa: Steve Johnson / Unsplash

CIP-Brasil. Catalogação na publicação
Sindicato Nacional dos Editores de Livros, RJ

G626s
Gonçalves, Jubal
Sermão expositivo : a pregação como palavra de Deus / Jubal Gonçalves. - 1. ed. - São Paulo : Mundo Cristão, 2023.
96 p.

ISBN 978-65-5988-177-2

1. Pregação. 2. Bíblia - Uso homilético. I. Título.

22-80339 CDD: 251
CDU: 27-475.2

Meri Gleice Rodrigues de Souza - Bibliotecária - CRB-7/6439

Categoria: Teologia
1ª edição: janeiro de 2023

Edição
Daniel Faria
Revisão
Natália Custódio
Produção
Felipe Marques
Diagramação e capa
Marina Timm
Colaboração
Ana Luiza Ferreira

Publicado no Brasil com todos os direitos reservados por:

Editora Mundo Cristão
Rua Antônio Carlos Tacconi, 69
São Paulo, SP, Brasil
CEP 04810-020
Telefone: (11) 2127-4147
www.mundocristao.com.br

Então Jesus os conduziu por todos os escritos
de Moisés e dos profetas, explicando o que
as Escrituras diziam a respeito dele.
Lucas 24.27

Sumário

Prefácio

Tenho a subida honra de prefaciar esta preciosa obra, *Sermão expositivo*, da lavra do meu amigo e ilustre ministro do evangelho, Jubal Gonçalves. Algumas razões eloquentes me movem para isso.

Primeira, porque Jubal escreve não como um teórico, mas como alguém que milita nessa seara com vibrante ardor. Jubal é um pregador. Consagrou sua vida para esse nobilíssimo ministério. Foi chamado para pregar. Prepara-se constantemente para pregar e continuará pregando. A pregação é sua missão e sua paixão.

Segunda, porque a vida do autor credencia sua obra. Em outras áreas da vida é possível que um indivíduo alcance êxito em sua obra, mesmo vivendo pessoalmente em desconexão com o que faz. Não é assim com o pregador. A vida do pregador é a vida de sua pregação. A vida do Jubal é avalista de suas palavras. Ele é um homem de Deus, cuja vida recomenda sua obra.

Terceira, o autor trata de um assunto vital para a igreja e para o mundo. A pregação é a mais nobre tarefa que um homem pode realizar na vida. A pregação é a maior necessidade da igreja e, por conseguinte, do mundo. O autor trata desse momentoso tema e o desenvolve com perícia invulgar.

Quarta, porque o autor destaca a primazia da pregação expositiva. A pregação expositiva está firmada sobre o tripé: leitura do texto, explicação do texto e aplicação do texto. O sermão expositivo conecta o texto antigo ao ouvinte contemporâneo. A pregação expositiva não é a imposição dos pressupostos humanos ao texto, mas o exame meticuloso do texto, para extrair dele o que nele está para a salvação dos pecadores e a edificação da igreja.

Quinta, porque o autor compulsa obras de grande envergadura sobre o assunto, fazendo uma espécie de revisão de literatura e brindando seus leitores com a mais atualizada reflexão sobre o assunto.

Minha convicção é que este livro enriquece a literatura evangélica brasileira e será uma ferramenta útil para todos aqueles que amam a

Palavra de Deus e estão empenhados em pregá-la expositivamente, com conhecimento e fervor. Boa leitura!

Hernandes Dias Lopes

Agradecimentos

Em primeiro lugar agradeço a Deus, que incondicionalmente me resgatou do lamaçal do pecado, me dotou para o ministério da Palavra e me deu condições intelectuais e espirituais para realizar esta pesquisa. A ele toda a honra e toda a glória.

Agradeço a minhas "ovelhas" e alunos que, direta ou indiretamente, me incentivaram a produzir este texto, quer pelas demandas que me apresentaram, quer pelo desejo de terem alguns princípios registrados.

Agradeço, também, a alguns amigos escritores: ao rev. João Alves dos Santos (*in memorian*), que com a competência que lhe era peculiar revisou e deu sugestões a este texto antes mesmo de eu pensar em publicá-lo; ao rev. Eguinaldo Hélio, que muito me incentivou a publicação deste livro; ao rev. Alcindo Almeida, que me deu algumas dicas e se alegrou com cada passo dessa conquista; e ao rev. Hernandes Dias Lopes, que gentilmente escreveu o prefácio desta obra. Que o Senhor os abençoe!

E especialmente a Danielle, minha esposa, e a meus filhos, Henrique, Davi e Théo, que foram tantas vezes privados de minha companhia por causa do tempo investido na pesquisa e escrita deste livro.

Introdução

Pregação expositiva é um assunto urgente. É de fundamental importância que a igreja contemporânea se comprometa com esse princípio, a fim de louvar o Senhor com a edificação dos crentes e o resgate dos perdidos. Por essa razão, salientaremos a importância de se interpretar e expor o texto sagrado com fidelidade.

É necessário considerar o ensino correto de cada texto e pregá-lo objetivamente, argumentando de forma didática a grande lição exposta no livro e suas devidas aplicações. Mas, para conceituar e entender a importância da pregação expositiva, é necessário que antes entendamos o conceito de pregação como Palavra de Deus e suas implicações.

Os pregadores precisam ser comissionados e habilitados pelo Senhor, para que possam interpretar e expor as Escrituras fielmente. A Bíblia é a revelação especial de Deus, e sua mensagem é o meio pelo qual o Espírito a usa para regenerar corações.

É inegável a necessidade de resgatar o princípio de que a pregação fiel das Escrituras é a Palavra de Deus. Infelizmente, o que tem sido considerado como pregação bíblica por igrejas contemporâneas, muitas vezes, está longe de ser uma exposição fiel das Escrituras.

Todo pregador precisa compreender que Deus fala mediante a pregação fiel da Bíblia, a fim de exercer com fidelidade seu ofício, conduzindo seus ouvintes à obediência a Cristo. Embora os pregadores não sejam inspirados, é necessário que tenham consciência da natureza de seu trabalho, interpretando, pregando e vivendo os princípios bíblicos, para cumprirem com excelência o ministério que o Senhor os confiou. Todo pregador deve partir da premissa de que, se corretamente exercida, a pregação é Palavra de Deus.

Para confirmar essa ideia, abordaremos no primeiro capítulo o conceito bíblico de Palavra de Deus, a partir do resgate que a Reforma Protestante fez desse ensino, destacando a autoridade da pregação no Antigo e no Novo Testamento. Essa autoridade decorre da autoridade das Escrituras e é evidenciada, também, na prática eclesiástica, contrapondo-se ao fato de que um bom número dos púlpitos da igreja contemporânea está repleto de sermões de autoajuda ou meramente de apelos morais, conforme minha opinião.

O segundo capítulo deste livro tratará de aspectos práticos da pregação, que ajudam a definir a importância da pregação expositiva, a partir de implicações do conceito de pregação como Palavra de Deus. Tomaremos por base os seguintes pontos:

- A comissão de pregadores, tema que aborda a dotação divina e a consequente autorização de Deus, dada mediante a igreja, para alguém ser um expositor das Escrituras, e, por conseguinte, quais são as exigências para se assumir o púlpito sagrado.
- A correta interpretação do texto bíblico, fruto de oração e trabalho exegético. Aqui serão delineados alguns pressupostos da exegese para que não reste dúvidas sobre o que seja uma "exegese genuína", justamente porque o Senhor comunica sua vontade através da exposição fiel do ensino bíblico.
- A iluminação e capacitação do Espírito Santo. As pessoas não são salvas da perdição eterna e edificadas mediante argumentos

humanos, mas, sim, pelo poder da atuação do Espírito de Deus.

- A vida espiritual do pregador. Embora o Senhor use quem ele quiser como instrumento para a regeneração, ele costuma usar seus filhos, que transmitem por meio de palavras e exemplo a mensagem que salva.
- A importância do sermão expositivo. Tendo abordado o conceito reformado de pregação e algumas de suas implicações, definiremos a pregação expositiva, que é o mesmo que pregação fiel, e apresentaremos algumas de suas vantagens.
- A necessidade de uma interpretação cristocêntrica, para que não se perca a oportunidade de apresentar Jesus Cristo, o cerne das Escrituras, na aplicação das mensagens. Partindo da premissa de que Cristo é encontrado em todas as perícopes na Bíblia, não há como pregar expositivamente sem ser cristocêntrico.
- A aplicação, que consiste em tornar a mensagem simples e prática para todos os ouvintes. A aplicação é fundamental para que barreiras linguísticas, culturais e sociais entre o período bíblico e o atual sejam transpostas.

Infelizmente, do meu ponto de vista, boa parte dos pregadores atuais não tem dado a importância devida a este assunto. E não ter cuidado com a aplicação dos sermões é desperdiçar a exegese feita. A pregação expositiva deve se preocupar com aplicações claras e diretas.

Convém, ainda, esclarecermos que o termo "pregação", usado ao longo deste livro, sempre se referirá à exposição do texto sagrado como palavra oficial da igreja, e não à obra de evangelização em geral. A ênfase desta obra recai sobre a pregação bíblica oficial, como ministério da igreja, exercida por pessoas autorizadas e devidamente preparadas intelectual e espiritualmente.

Meu desejo é que este livro seja útil à igreja contemporânea, trazendo à mente dos pregadores o conceito bíblico de pregação, levando-os ao zelo por sua vida espiritual e ao estudo profundo das Escrituras, e motivando-os a buscar o poder do alto para pregarem expositivamente.

1
O conceito de pregação como Palavra de Deus

Este primeiro capítulo analisará a natureza da pregação em seu conceito escriturístico, princípio básico para o conceito de pregação expositiva. Uma das coisas mais importantes para um pregador é ter consciência da verdadeira natureza de seu ofício. Portanto, consideraremos a ideia de pregação como Palavra de Deus vista em sua autoridade decorrente da autoridade das Escrituras, e também evidenciada na história da igreja. Antes, contudo, será necessário, mesmo que brevemente, averiguarmos o conceito de Palavra de Deus.

O conceito de Palavra de Deus

Em 2Timóteo 3.16-17, o apóstolo Paulo registra: "Toda a Escritura é inspirada por Deus e útil para nos ensinar o que é verdadeiro e para nos fazer perceber o que não está em ordem em nossa vida.

Ela nos corrige quando erramos e nos ensina a fazer o que é certo. Deus a usa para preparar e capacitar seu povo para toda boa obra". A Bíblia foi "soprada" por Deus. Fazendo uso de homens, e de seus respectivos vocabulário e cultura, o Senhor "soprou" sua vontade, registrando e preservando o texto sagrado. E é devido a essa sua natureza divina que as Escrituras são "autoritativas", isto é, possuem autoridade intrínseca de Palavra de Deus.

A Confissão de Fé de Westminster sumariza assim o ensino bíblico acerca da Sagrada Escritura:

> Ainda que a luz da natureza e as obras da criação e da providência manifestam de tal modo a bondade, a sabedoria e o poder de Deus, que os homens ficam inescusáveis, todavia não são suficientes para dar aquele conhecimento de Deus e de sua vontade, necessário à salvação; por isso foi o Senhor servido, em diversos tempos e diferentes modos, revelar-se e declarar à sua Igreja aquela sua vontade; e depois, para melhor preservação e propagação da verdade, para o mais seguro estabelecimento e conforto da Igreja contra a corrupção da carne e a malícia de Satanás e do mundo, foi igualmente servido fazê-la escrever toda. Isto torna a Escritura Sagrada

indispensável, tendo cessado aqueles antigos modos de Deus revelar a sua vontade ao seu povo.[1]

A Bíblia é a Palavra de Deus. É a revelação especial do Senhor, pela qual o Espírito Santo restaura os eleitos de um estado de morte espiritual, comunicando a vontade divina e reconciliando-os com o Criador. Somente as Escrituras são capazes de transmitir conhecimento salvífico à humanidade.

Por isso Deus quis que a transmissão de sua vontade desde o período patriarcal fosse registrada, para que todo o mundo tivesse acesso ao ministério da reconciliação. A vontade divina, transmitida através dos profetas e apóstolos, continuou sendo registrada até o fechamento do cânon e pregada por aqueles que foram dotados para ser voz de Deus.

A essência dessa autoridade das Escrituras está no fato de o Senhor manifestar seu poder dinâmico ao identificar seu Filho com a Palavra (Jo 1.1). A Palavra e o Filho são inseparáveis, assim como Deus e sua Palavra são inseparáveis. O que a Bíblia diz é o que Deus diz. As Escrituras foram inspiradas pelo

[1] Confissão de Fé de Westminster, cap. 1, "Da Escritura Sagrada".

Senhor (2Tm 3.16-17). A Bíblia é a revelação especial de Deus, a forma pela qual o Senhor comunica sua vontade à humanidade. Por isso, não há diferença entre o que está registrado nas Escrituras e a vontade divina.[2] Contudo, é muito importante que o pregador experimente a autoridade da Bíblia em sua vida mais do que a defende.[3]

O conceito de pregação como Palavra de Deus

Embora o termo "inspiração" se refira à escrituração da revelação especial, podemos considerar que a exposição fiel das Escrituras é Palavra de Deus no sentido de que ela comunica os preceitos divinos. A seguir consideraremos alguns aspectos pelos quais o conceito de pregação fiel pode ser visto como Palavra de Deus.

Autoridade decorrente da autoridade das Escrituras

A autoridade da pregação não é propriamente dela, antes decorre da inspiração das Escrituras,

[2] Cheung, *A Bíblia, o pregador e o Espírito*, p. 7.

[3] Dever et al., *A pregação da cruz*, p. 21.

tema abordado no ponto anterior. Ou seja, se a Bíblia é a Palavra de Deus e possui a autoridade dele, sua fiel interpretação e exposição transmitem essa autoridade, sendo o poder de Deus para a salvação (Rm 1.16).

A autoridade da pregação é derivada e subordinada à autoridade da Bíblia. Romanos 1.16 não se refere meramente à Palavra escrita, pois em seu contexto (ver especialmente Rm 10.8-10) o apóstolo Paulo disserta a respeito da Palavra de fé que pregava e que era poderosa para a transformação dos perdidos.

O Senhor Jesus se faz presente na igreja por meio da exposição fiel das Escrituras, pela qual os eleitos são salvos e a igreja é edificada. A autoridade e a eficácia da mensagem pregada residem no poder das Escrituras, e não na argumentação do pregador.[4] Daí a necessidade de se pregar todo o conselho de Deus (At 20.27).[5]

João Calvino lembra que muitas são as evidências extraídas da Bíblia a respeito da autoridade da pregação decorrente das Escrituras. Contudo,

[4] Anglada, *Introdução à pregação reformada*, p. 62, 67.

[5] Calvin, *Commentary on the Acts of the Apostles*, p. 25-26.

de acordo com o reformador, o testemunho interno do Espírito Santo no coração daqueles que se rendem aos pés da cruz é a verdadeira evidência de que Deus fala mediante as Escrituras, o que independe de eloquência ou sabedoria humana.[6] Nas palavras de Paulo em 1Coríntios 2.4: "Minha mensagem e minha pregação foram muito simples. Em vez de usar argumentos persuasivos e astutos, me firmei no poder do Espírito".

Considerando que esse conhecimento salvífico se dá a partir do conhecimento obtido pelo texto inspirado, concluímos que a interpretação correta das Escrituras comunica a vontade divina. Isaías disse: "O mesmo acontece à minha palavra: eu a envio, e ela sempre produz frutos. Ela fará o que desejo e prosperará aonde quer que eu a enviar" (Is 55.11). Segundo Calvino, nesse texto o profeta Isaías ressalta a importância do pregador como instrumento dócil nas mãos de Deus, útil para a salvação ou condenação. A pregação é eficaz tanto para a salvação dos crentes quanto para a condenação dos ímpios. A pregação fiel é Palavra de Deus.[7]

[6] Calvino, *As Institutas*, vol. 1, p. 72.

[7] Calvin, *Commentary on the Book of the Prophet Isaiah*, p. 172.

Ao comentar esse conceito de pregação desenvolvido por Calvino, Parker assevera que a pregação é a Palavra de Deus porque transmite a mensagem bíblica: a vontade do Senhor.[8] Então, quando os pastores, portadores fiéis da mensagem divina, são rejeitados é como se o próprio Deus fosse rejeitado.[9] Isso não quer dizer que a mensagem bíblica torna os pregadores infalíveis, nem que sua autoridade se baseie naquilo que são, fazem ou dizem, mas, sim, que a autoridade decorre da Palavra divina que interpretam e transmitem. Todo pregador deve ser rejeitado se sua pregação não estiver em conformidade com a lei do Senhor. Portanto, ainda que a pregação fiel das Escrituras transmita segurança e autoridade ao mensageiro, os méritos são do Senhor e não dele; a autoridade é de Deus e não do pregador.

A máxima de que a exposição fiel das Escrituras é Palavra de Deus é evidenciada na história e no texto sagrado desde o Antigo Testamento, em narrativas que relatam o trabalho de homens comissionados para pregar em nome do Senhor. Esse é o próximo aspecto a ser considerado.

[8] PARKER, *Calvin's Preaching*, p. 23.

[9] CALVINO, *Instrução na fé*, p. 86.

Na história da pregação

Um bom exemplo do Antigo Testamento acerca da exposição fiel das Escrituras como exposição da Palavra de Deus se encontra em Neemias 8. Era o sétimo mês do calendário judaico, ocasião para festas religiosas, mês do Dia da Expiação e da Festa dos Tabernáculos. A cada sete anos os judeus paravam suas atividades para estudar integralmente a lei do Senhor. O povo estava obedecendo ao que Deus havia ordenado por meio de Moisés em Deuteronômio 31.9-13. Relata o texto de Neemias que "todo o povo se reuniu com um só propósito" para ouvir a lei de Moisés, lida pelo escriba Esdras (v. 1). O escriba era uma espécie de secretário perito em livros, tecnicamente treinado na lei de Deus, com a finalidade de ensiná-la. E de um púlpito de madeira Esdras realizou seu trabalho (v. 4).

Os versos 7-8, então, narram que Esdras e um grupo de levitas "liam o Livro da Lei de Deus, explicavam com clareza o significado do que era lido e ajudavam o povo a entender cada passagem". "Explicar com clareza" o texto é torná-lo distinto ou separado. Além de Esdras traduzir o texto do hebraico para o aramaico, provável dialeto falado naquela época em Israel, o texto era explicado ao povo que se reunia para aprender de Deus.

Dentre alguns exemplos do Novo Testamento sobre a pregação ser Palavra de Deus pode-se registrar o ministério do apóstolo Paulo, com seu zelo e preocupação em expor o texto sagrado. O livro de Atos salienta que Paulo fazia questão de pregar a respeito de Cristo nas sinagogas (At 9.20; 17.17; 18.19) e também nas praças (At 17.18). O apóstolo não apresentava suas próprias elucubrações, não apresentava um discurso puramente filosófico; antes, apresentava Cristo através das Escrituras, como se depreende de Atos 17.2, pois essa é a mensagem que pode regenerar verdadeiramente os corações.

Ao longo da história da igreja, mesmo após o fechamento do cânon, também podemos destacar outros exemplos de que a pregação fiel é Palavra de Deus. A seguir serão apresentados alguns períodos da história em que alguns pregadores fiéis se levantaram.

No período da igreja cristã antiga, entre os séculos 2 e 4 d.C., a pregação expositiva entrou em desuso pelo fato de a liderança da igreja preferir a filosofia grega aos princípios bíblicos. As preleções não tinham por base as Escrituras, e sim a filosofia. Os sermões eram informais e muito mais avaliados pela oratória do pregador do que por sua fidelidade ao texto sagrado. Daí o uso de alegorias.

Conforme menciona Broadus, a pregação leiga era bastante comum. O trabalho laico sempre foi de fundamental importância para o desenvolvimento da igreja. Entretanto, quando um erudito era convertido, ele se colocava diante da congregação e pregava sem se preocupar com um estudo preparatório. O problema destacado aqui é o descuido com um estudo sério das Escrituras. Mesmo diante de condições intelectuais necessárias para um estudo profundo da Bíblia, preferia-se ter meramente a oratória e a imaginação como bases para a exposição do texto sagrado a se fazer uma exegese correta.[10] Exceção a essa prática era João Crisóstomo, o "boca de ouro", que expunha a Bíblia verso por verso e realizava seu trabalho coerentemente com a sua dotação para o ministério da Palavra.[11]

[10] Broadus, *Historia de la predicacion*, p. 39-40.

[11] Ibid., p. 62.

No período da Idade Média (sécs. 5–15 d.C.), boa parte dos pregadores continuou usando o método alegórico, que consiste em espiritualizar o texto, ignorando as regras hermenêuticas, praticando uma interpretação descomprometida com a mensagem original do autor. Contudo, alguns pregadores, como John Wyclif (1330–1384), rechaçaram esse método, abrindo caminho para a posterior Reforma Protestante.[12]

O período da Reforma teve por base a centralidade da Bíblia, destacando a necessidade e importância de uma exposição fiel do texto sagrado. Princípios como *Soli Deo gloria*, *Sola gratia* e especialmente *Sola Scriptura* foram frutos de um estudo profundo da Bíblia. Martinho Lutero, por exemplo, se converteu em meio a seus esforços para aprender e expor o texto bíblico.[13]

Calvino, por sua vez, relutou em aceitar sua dotação divina para ser pregador. Ele sabia que transmitir a Palavra de Deus era um grande privilégio, mas tinha consciência, também, de que era uma grande responsabilidade. É nesse sentido

[12] Ibid., p. 63.

[13] Ibid., p. 64.

que D'Aubigné relata o seguinte a respeito do reformador:

> Diversos cidadãos de Orleans lhe abriram suas casas, dizendo: Vem e ensina abertamente sobre a salvação do homem. Calvino esquivava-se. Não perturbais minha tranquilidade, ele respondia; deixai-me em paz [...]. Mas essas almas, sedentas pela verdade, não desistiram tão facilmente. Uma resposta das trevas, replicaram os mais calorosos; uma paz ignóbil. Vem e prega! Calvino lembrou as palavras de Crisóstomo: Embora mil pessoas venham a chamar-te, pensa nas tuas fraquezas, e só obedece sob constrangimento. Pois bem, então nós te constrangemos, responderam seus amigos. Ó Deus! O que queres de mim?, Calvino exclama nesses momentos: Por que me persegues? Por que me conturbas, sem nunca me dares descanso? Por que, contrariando a minha vontade, me colocas em evidência [...]? Calvino desistiu, entendendo que era seu dever proclamar o evangelho.[14]

A princípio, portanto, o reformador relutou em aceitar esse ministério de ser pregador, mas depois foi convencido a aceitá-lo.

[14] D'Aubigné, *History of Reformation in Europe in the Time of Calvin*, vol. 2, p. 36.

O conceito calvinista e reformado acerca da natureza da pregação é derivado do conceito reformado de Palavra de Deus, que é o seguinte: A Bíblia é a Palavra escrita; Cristo é a Palavra encarnada; a Santa Ceia é a Palavra representada; e a Pregação é a Palavra proclamada.[15]

A pregação deve estar de acordo com o texto sagrado. Citando Calvino, Parker considerava que a atividade primordial do pastor é expor com simplicidade e fidelidade as Escrituras, sendo voz de Deus. Daí o reformador ter exclamado: "Não usem alegorias fantasiosas. O pregador é o servo da mensagem".[16]

Martinho Lutero, por sua vez, considerava a pregação o trabalho mais importante do mundo.[17] Em relação ao culto público, por exemplo, ele chegou a dizer que a pregação da Palavra é mais importante que sua leitura (cabe levar em conta o contexto em que ele vivia, que não tinha as Escrituras como centro do culto).[18] Por mais fiel que seja o pregador, ele é passível de erros. A Bíblia, em

[15] Anglada, *Vox Dei*, p. 147.

[16] Citado em Parker, *Calvin's Preaching*, p. 35.

[17] Citado em Lopes, *A importância da pregação expositiva para o crescimento da igreja*, p. 48.

[18] Citado em Fant, *20 Centuries of Great Preaching*, p. 9.

contrapartida, é inerrante. As Escrituras são inspiradas, o pregador não.

Entretanto, não há dúvidas de que a leitura e exposição das Escrituras devem estar no centro do culto público. Toda liturgia deve se basear na mensagem pregada. Os cânticos e as orações têm sua importância fundamental no culto público, mas a pregação é que deve orientar cada parte da liturgia, de modo que a leitura e exposição do texto bíblico sejam o ponto culminante da adoração pública. Enquanto no Antigo Testamento os sacrifícios, que apontavam para Cristo, eram o centro do culto, no Novo a pregação é o centro. Os sacrifícios apontavam para Cristo, que agora é proclamado por meio das Escrituras.

Tratando ainda de seu pensamento a respeito da pregação, em um documento intitulado "O direito e autoridade de uma assembleia ou comunidade cristã de julgar toda doutrina, chamar, nomear e demitir pregadores: fundamento e razão da Escritura", Lutero afirma "que a comunidade cristã deve ser reconhecida, sem sombra de dúvidas, na pregação do Evangelho puro".[19] Então, diante

[19] Lutero, *Obras selecionadas*, vol. 7, p. 28.

da natureza da pregação, é importante que os pregadores sejam claros a todas as pessoas e valorizem tanto sua vida acadêmica como a espiritual.

É por causa dessa ideia de pregação que hoje temos Bíblias abertas no púlpito de muitas igrejas reformadas. Essa prática teve início no século 16 e teve também certa ênfase no movimento puritano, simbolizando a importância das Escrituras no culto público.

Do período pós-Reforma podemos destacar alguns pregadores puritanos, como John Hall (1574–1656), Thomas Goodwin (1600–1680), Richard Baxter (1615–1691) e John Owen (1616–1683). Todos esses tinham um profundo senso da presença de Deus, expondo o texto sagrado sob a premissa de que a pregação fiel é voz de Deus.

Ao longo da história da igreja os expositores fiéis ao texto bíblico foram a minoria. Contudo, o Senhor sempre levantou homens fiéis a sua Palavra, que entendiam a importância de expor o texto sagrado para se conhecer a vontade divina, sendo instrumentos para a conversão de almas e a edificação da igreja de Cristo.

2

As implicações da pregação como Palavra de Deus

Boa parte da igreja contemporânea desaprendeu a reconhecer uma pregação bíblica. Alguns dos homens que têm sido reconhecidos como grandes pregadores psicologizam seus púlpitos, falam coisas que (ainda que por vezes verdadeiras) o texto exposto não ensina, e estão mais preocupados com o pragmatismo do que com a fidelidade à Bíblia.

Para que esses erros não sejam cometidos, é de suma importância que pregadores que desejam servir o Senhor em tão sublime ofício apliquem os princípios bíblicos a respeito da pregação em seu ministério.

A seguir consideraremos as implicações do fato de a pregação ser Palavra de Deus.

A comissão de pregadores

Por comissão referimo-nos aqui a Deus habilitar algumas pessoas para a função de pregador e a sua consequente ordenação pela igreja. Joseph Alleine era de opinião que se alguém é capaz de viver sem o ministério não deve se aventurar nele. O pregador não deve encarar esse ofício como mera função. Ele deve desejar ardentemente ocupar o púlpito, domingo após domingo. Deve ter a consciência de ter sido dotado por Deus para pregar.[1]

Um texto que serve para ilustrar a necessidade de dotação divina para ocupar o púlpito é Romanos 1.1. Comentando-o, Calvino defendeu que o termo traduzido por "servo" indica o ofício de ministro da Palavra. Segundo o reformador, Paulo usou a expressão para salientar que havia sido autorizado por Deus para pregar, em face dos questionamentos levantados pelos hereges acerca da sua apostolicidade.[2]

E ainda, segundo Calvino, o termo traduzido por "pregador" no Novo Testamento (1Tm 2.7; 2Tm 1.11) designa um porta-voz especialmente comissionado para a proclamação pública oficial da vontade de Deus, o que dá base para restrições

[1] Citado em Spurgeon, *Lições aos meus alunos*, vol. 2, p. 29.

[2] Calvino, *Romanos*, p. 40.

ao exercício dessa tarefa. Não é qualquer pessoa que pode pregar.[3]

A questão suscitada por Calvino sobre quem pode subir ao púlpito de uma igreja e pregar deve ser considerada cuidadosamente, conforme o contexto de cada igreja. Este autor é de opinião que é admissível que leigos preguem, ou por falta de comissionados ou para testar suas aptidões; todavia, esse conceito de Calvino é de grande importância para se delinear princípios gerais e para que a natureza da pregação não seja esquecida. Portanto, a pregação é, de modo geral, tarefa restrita aos ordenados para essa sublime obra, sendo função essencial do ministério pastoral.[4]

Há alguns aspectos que evidenciam essa dotação para pregar: habilidades, desejo intenso de realizar a obra e testemunho da igreja. Essa dotação é confirmada pelo Espírito Santo no coração de seus servos. Por isso, ninguém deve assumir um ofício público na igreja sem ser habilitado por Deus para tal tarefa.

[3] Calvino, As *Institutas*, vol. 4, p. 76.

[4] Calvin, *Commentary on the Acts of the Apostles*, p. 52.

Em suas *Institutas*, Calvino abordou essa questão dizendo que "deve haver bom critério para discernir os verdadeiros pastores, para que não haja precipitação em receber de imediato como pastores os que assim são chamados". É a igreja que deve, com base nas Escrituras, reconhecer quem recebeu habilidades para pastorear o rebanho de Deus.[5]

Gilbert Guffin observa a necessidade da dotação divina para pregar:

> É de vital importância para uma compreensível preparação do ministro o fato de que ele tenha um profundo e verdadeiro senso de seu chamado. Aquele ministro que não tem profunda convicção do chamado divino ao longo do tempo perderá o senso de urgência de seu ministério e poderá vir a falhar.[6]

O ministro convicto de seu trabalho não desistirá do sagrado ministério, mesmo em meio às dificuldades, pois será revestido do poder do alto. Contudo, essa convicção se dará mediante a confirmação do Espírito em seu coração e, também, mediante o testemunho da igreja.

[5] Calvino, *As Institutas*, vol. 4, p. 125.

[6] Guffin, *Called of God*, p. 37-38.

Considerando o ministério da pregação, Vines e Shaddix asseveram:

> Todo pregador precisa estar convicto de seu chamado; tal consciência fará com que ele se disponha e se habilite a pagar o preço desse trabalho árduo. Sua perspectiva acerca de seu chamado para pregar determina profundamente sua abordagem do púlpito. Se você é pregador efetivo do evangelho, precisa entender que tem um chamado profético. Pregue com o senso de que Deus está pregando por seu intermédio.[7]

Há uma estreita relação entre a natureza da pregação, a dotação e o preparo do pregador. Todo pregador deve cuidar para não perder de vista esse senso de ser apenas um instrumento de Deus. Em nenhum momento o púlpito deve ser considerado um lugar trivial.

Quanto às habilidades do pregador, ninguém é dotado por Deus para pregar o evangelho por ser incapaz de desenvolver outras atividades. Por certo o vocacionado para o ministério terá as aptidões para esse ofício. Até é possível que Deus

[7] VINES e SHADDIX, *Power in the Pulpit*, p. 46.

chame alguém através do insucesso em outras áreas. Entretanto, Deus usa em sua obra pessoas talentosas. Homens que, além de capacitados para exercer o ministério, poderiam também desenvolver outras atividades.

Segundo Calvino, além do registro de sua revelação especial o Senhor comissionou profetas para interpretarem sua Palavra.[8] Se a pregação deve ser a manifestação da vontade divina a seu povo, o pregador deve entender que foi habilitado por Deus para ser servo de sua mensagem, que, conforme já foi considerado, deve ser entregue em nome de Deus. Portanto, o pregador não deve transmitir suas meras elucidações.[9] Deus comissiona pregadores não para exaltá-los e sim para exaltar-se, assevera Spurgeon.[10]

Sangster descreve esse comissionamento da seguinte forma:

> Chamado para pregar! Comissionado por Deus para ensinar a Palavra! Um arauto do grande Rei! Uma testemunha do Evangelho Eterno! Poderia haver

[8] Calvino, *As Institutas*, vol. 1, p. 69.

[9] Parker, *Calvin's Preaching*, p. 35.

[10] Spurgeon, *Lições aos meus alunos*, vol. 1, p. 25.

> ministério mais elevado e santo? Para esta suprema tarefa Deus enviou seu Filho unigênito [...]. Pregar as Boas-Novas de Jesus Cristo é a atividade mais elevada, mais santa a que o homem pode entregar-se: uma tarefa que os anjos talvez invejem e pela qual os arcanjos poderiam renunciar à corte do céu.[11]

Não há dúvidas de que é um privilégio imensurável ser comissionado por Deus para ser um expositor das Escrituras. Contudo, privilégios costumam ser acompanhados de responsabilidades. Por isso nenhuma pessoa tem o direito de se intitular ministro do evangelho, a menos que seja dotada e reconhecida pela igreja para tal tarefa. E os ministros comissionados por Deus, através da igreja, não podem deixar de fazer o melhor no desenvolvimento de seu ministério, pois o pregador fiel das Escrituras é voz de Deus.

A correta interpretação das Escrituras

Devido à natureza divino-humana das Escrituras o pregador deve se esmerar no estudo da Bíblia. Convencido do princípio da *Vox Dei*, Calvino

[11] SANGSTER, *The Craft of Sermon*, p. 297.

tinha o cuidado de extrair das Escrituras o seu verdadeiro significado. É por isso que ele é conhecido como o pai da exegese, o exegeta da Reforma, o maior exegeta de todos os tempos, o príncipe dos expositores.[12] A exegese para o sermão de domingo deve ser a principal tarefa do pastor.[13]

O princípio reformado de interpretação ensina que, em meio à dificuldade de se interpretar um texto, convém recorrer a outro texto bíblico sobre o assunto que seja mais claro, e ainda, analisar o ensino de toda a Escritura sobre o assunto. O pregador deve assegurar-se de expor fielmente a mensagem o texto sagrado.[14] Daí a famosa frase de Lutero: "a Escritura interpreta a si mesma".[15]

Sob a alegação de que é impossível não haver subjetividade na interpretação do texto sagrado, alguns estudiosos, mal preparados ou mal-intencionados, justificam a prática de impor

[12] Ferreira, *Calvino: vida, influência e teologia*, p. 162.

[13] Ross, *Preaching for Revitalization*, p. 212.

[14] Michelén, *Da parte de Deus e na presença de Deus*, p. 74.

[15] Citado em Greidanus, *Pregando Cristo a partir do Antigo Testamento*, p. 134.

suas preferências e necessidades ao texto sagrado. Sobre isso, Wiersbe afirma:

> O processo de interpretação precisa ter sua subjetividade minimizada o máximo possível. [...] Mas alguns elementos da subjetividade sempre estarão presentes. Porque temos uma vida imperfeita, sempre traremos a certos textos nossas ideias, influências culturais, cosmovisões limitadas, e outros fatores que formam nossos paradigmas hermenêuticos.[16]

O comentário acima não serve para justificar a subjetividade na interpretação do texto bíblico; antes, visa minimizar qualquer espécie de subjetividade. Embora seja muito difícil aproximar-se do texto bíblico sem pressupostos e sem nenhuma teologia pré-concebida, é fundamental renunciar a opiniões pessoais quando, confrontadas com o texto sagrado, elas se mostrem antibíblicas.

Muitos pregadores, que nem sequer sabem o que é exegese, alegam usar as ferramentas necessárias para uma interpretação fiel. Por isso é preciso, mesmo que brevemente, delinearmos alguns pressupostos exegéticos.

[16] Wiersbe, *Preaching and Teaching with Imagination*, p. 25.

O primeiro trabalho do pregador é realizar um estudo histórico da passagem. Esse estudo consiste em procurar definir, mediante as evidências extraídas da Bíblia ou de outras fontes, quem é o autor do livro; qual a data, o local e a ocasião em que o texto foi escrito; e quais eram seus destinatários.

O próximo passo é fazer um estudo contextual da passagem. Esse estudo consiste em delinear o contexto histórico; os acontecimentos mais importantes do período próximo relacionados ao autor e seus destinatários; o contexto literário da passagem, tanto próximo quanto remoto; e a estrutura do contexto.

O último passo da exegese é realizar um estudo do texto. Nesse passo o exegeta precisará traduzir o texto original para a língua vernácula; definir o gênero literário, o que é basilar para a correta interpretação, evitando alegorias indevidas; e definir a estrutura do texto. Além de ajudar a compreender a ordem do discurso, o estudo da estrutura do texto muitas vezes suscita suas divisões naturais. Na sequência faz-se necessário um estudo de palavras-chave, aspectos gramaticais, mensagem para a época da redação e teologia do texto.

A exegese deve ser vista como um estudo minucioso que tem por propósito chegar à interpretação do texto para que se possa fazer as devidas aplicações. Ela é um recurso teológico, histórico e gramatical, e não místico.

A iluminação e capacitação do Espírito Santo

O preparo acadêmico, todavia, não é suficiente. O pregador precisará do auxílio do Espírito Santo para interpretar e expor o texto sagrado.[17] Os pregadores que desejam ser fiéis a Deus devem buscar falar da parte dele através de uma boa exegese do texto e da iluminação do Espírito Santo, a fim de expressarem apenas o que o Senhor revelou nas Escrituras, nem mais nem menos.[18] A técnica não exclui a dependência do Espírito Santo. O pregador sempre dependerá do Espírito de Deus tanto no preparo quanto na exposição do sermão.[19]

[17] Aquino, *Pregue para a glória de Deus*, p. 19.

[18] Greidanus, *O pregador contemporâneo e o texto antigo*, p. 114-115.

[19] Arakaki, *Homilética: teologia prática*, p. 86.

Como já foi dito, a transformação do coração humano não é operada mediante a eloquência do pregador, e, sim, pelo poder da Palavra de Deus, aplicado através do Espírito Santo. A atuação do Espírito não é apenas importante, mas indispensável na elaboração, entrega e recebimento da mensagem divina.

Com respeito à importância da obra do Espírito na entrega da mensagem, podemos afirmar que o sermão se inicia no gabinete pastoral antes de terminar no púlpito. Todo pregador responsável deve preparar-se previamente, tanto acadêmica quanto espiritualmente, para pregar, em vez de apenas proclamar: "O Senhor me revelou". Quando afirmamos que o sermão começa no gabinete queremos dizer que a mensagem é dinâmica e que o Espírito usa o preparo do mensageiro para que o sermão seja eficaz e fiel à Palavra.[20] Paulo dependia do Espírito para pregar (Rm 15.19), e o próprio Senhor Jesus desempenhava seu ministério no poder do Espírito Santo (Lc 4.14).

Não se pode ignorar, também, que a eficácia da mensagem depende da atuação do Espírito tanto

[20] Eswine, *Preaching to a Post-Everything World*, p. 156.

no mensageiro quanto no receptor. O ouvinte precisa preparar-se para receber a mensagem. O fato de o Espírito Santo não mover o coração de alguém para atentar à mensagem bíblica não isenta essa pessoa de responsabilidade por não ter se preparado para recebê-la.[21]

A importância da atuação do Espírito Santo na pregação é encontrada em alguns textos, como, por exemplo, 1Tessalonicenses 1.5-7:

> Pois, quando lhes apresentamos as boas-novas, não o fizemos apenas com palavras, mas também com poder, visto que o Espírito Santo lhes deu plena certeza de que era verdade o que lhes dizíamos. E vocês sabem como nos comportamos entre vocês e em seu favor. Assim, apesar do sofrimento que isso lhes trouxe, vocês receberam a mensagem com a alegria que vem do Espírito Santo e se tornaram imitadores nossos e do Senhor. Com isso, tornaram-se exemplo para todos os irmãos na Grécia, tanto na Macedônia como na Acaia.

E ainda, em 1Pedro 1.12-13:

> Foi-lhes dito que suas mensagens não eram para eles, mas para vocês. E, agora, essas boas-novas lhes foram

[21] KELLER, *Pregação*, p. 13.

anunciadas por aqueles que pregaram pelo poder do Espírito Santo enviado do céu. É algo tão maravilhoso que até os anjos anseiam observar. Portanto, preparem sua mente para a ação e exercitem o autocontrole. Depositem toda a sua esperança na graça que receberão quando Jesus Cristo for revelado.

Portanto, será que um exegeta ímpio pode interpretar um texto melhor do que um cristão leigo? Não há dúvidas de que uma pessoa que dispuser de ferramentas para a interpretação correta das Escrituras, como o conhecimento de hebraico e grego, uma teologia bíblica adequada, uma boa teologia sistemática e noções de exegese terá amplas condições acadêmicas para extrair o ensino do texto. Por outro lado, alguém que apenas ore pedindo a iluminação do Espírito, mas não disponha dessas condições acadêmicas, poderá interpretar um texto erroneamente.

Apesar de Deus ter falado certa vez através da mula de Balaão (Nm 22), o modo natural de comunicar seus preceitos é por meio de seus filhos e de um preparo adequado destes para interpretar e expor sua Palavra. Estes, além das condições técnicas, necessitam de condições espirituais para lidar com a Bíblia, devido à natureza divino-humana das Escrituras. Por isso *Orare et Labutare* deve ser o lema de todo pregador fiel.

Por ser um livro dinâmico a Bíblia não pode ser estudada como um livro comum. Daí a necessidade da iluminação do Espírito para interpretá-la. Lutero também salientava a necessidade de estudar e orar para se interpretar corretamente a Palavra do Senhor. É muito difícil alguém interpretar corretamente as Escrituras sem o auxílio do Espírito Santo.[22]

A vida espiritual do pregador

Tudo o que se faz deve ser para o louvor do Senhor. No ministério da pregação não poderia ser diferente, ainda mais porque a pregação é a proclamação da Palavra de Deus.[23] Sendo assim, todo pregador fiel deve esforçar-se para ser útil para a edificação dos crentes e o resgate dos perdidos. Mas, considerando que alcançar esses alvos é uma dádiva do Santo Espírito, o expositor

[22] Citado em Anglada, *Introdução à hermenêutica reformada*, p. 82.

[23] Dever, *Pregue*, p. 50.

bíblico deve depender do Senhor para interpretar e aplicar o texto sagrado; para tanto é necessário que ele se relacione com Deus.[24]

A vida do pregador é importante, primeiramente, porque ele prega com ela, com seu exemplo. Essa afirmação não se refere a algum método de oratória, mas ao fato de as atitudes, muitas vezes, falarem mais alto que as palavras. Jesus Cristo ensinava seus discípulos dia a dia, com palavras e ações.

O pregador deve dispor-se e preparar-se para ser apenas um instrumento do Senhor. Bounds afirma que pregação retórica, empolgante, inteligente, mas sem o poder do Espírito, é mero acessório, assemelhando-se a flores que servem tão somente para decorar o caixão.[25]

Oswald Smith chama esse controle e influência do Espírito Santo na vida do pregador de "unção".[26] Assim diz ele:

> Homens ungidos não se satisfazem com educação e treinamento. Eles sabem que precisam de algo mais [...]. Assim, esperam na presença de Deus até

[24] Spurgeon, *Lições aos meus alunos*, vol. 1, p. 194.

[25] Bounds, *Poder através da oração*, p. 16.

[26] Smith, *The Man God Uses*, p. 19-20.

> que sejam revestidos com o poder do alto. Então eles saem e realizam mais em poucas semanas ou meses do que realizaram em anos, demonstrando o poder do Espírito Santo.[27]

Também sobre o assunto, afirma Bounds:

> A pregação não é tarefa de uma hora. É a manifestação de uma vida. É preciso vinte anos para fazer um sermão, porque são necessários vinte anos para formar o homem. O verdadeiro sermão é uma obra de vida. O sermão evolui porque o homem se desenvolve. O sermão é poderoso, porque o homem é santo. O sermão está cheio de unção divina, porque o homem está cheio de unção divina.[28]

É impossível desassociar a prática da pregação da vida do pregador, pois o poder regenerador aplicado a partir da pregação não é humano, mas divino. E, quanto mais conhece a Deus, mais condições terá o pregador para proclamar a verdade divina e ser instrumento para o desempenho do poder de Deus.

Segundo Broadus, para o pregador que deseja ser eficiente, louvando o Senhor com sua prédica,

[27] Bounds, *Poder através da oração*, p. 7.

[28] Ibid.

requer-se: piedade, dotes naturais, conhecimento e perícia, nessa ordem. Esses requisitos se interligam, dependendo um do outro.[29]

Adrien Bausells assevera: "Assim, Deus fala e as coisas acontecem. Os pregadores são os portadores destas Palavras que executam tanto o querer quanto o realizar de Deus. Quando pregamos, Deus age não apenas em nossa vida, mas também na vida dos que nos ouvem".[30]

À medida que o pregador se consagra ao Senhor, o Eterno fala com ele e com os ouvintes mediante o pregador. Deus pode usar quem ele quiser, e nem precisaria usar seus filhos, mas agradou ao Senhor usar homens piedosos dotados pelo Santo Espírito para exporem o texto sagrado.

Piedade é uma qualidade da alma, enraizada numa contínua experiência com Deus; é uma reverente dedicação à vontade divina. Piedade não é misticismo, ascetismo ou extramundanismo, no sentido de um afastamento orgulhoso do mundo.[31] A palavra traduzida por "piedade" vem de

[29] Broadus, *O preparo e a entrega de sermões*, p.7.

[30] Bausells, *A jornada da pregação*, p. 23.

[31] Ibid., p. 7.

uma raiz que significa "recuar" diante de alguém ou de alguma coisa. Logo, significa reverência, santidade, temor a Deus, religiosidade (1Tm 4.7). Calvino definiu piedade como a reverência associada com o amor de Deus que nos faculta o conhecimento de seus benefícios.[32]

Da mesma forma que o sumo sacerdote carregava no peito a inscrição "Santidade ao Senhor", os pregadores devem pregar de modo a evidenciar que realizam um trabalho com piedade, consagração a Deus. Isso será percebido pelos ouvintes se a pregação, além de fruto de um trabalho exegético, for resultado de "joelhos no chão".

É evidente a atuação do Espírito Santo na pregação de homens de oração como Moisés, Samuel e Daniel, daí a necessidade de vida espiritual da parte do pregador.[33] O Senhor Jesus, por exemplo, se isolava no deserto para orar (Lc 5.16). Mesmo sendo Deus encarnado, o Filho dependia do Pai, por isso orava. Antes de comissionar os doze discípulos ele subiu ao monte para orar a sós (Lc 6.12). O Sermão do Monte foi precedido de uma vigília

[32] Calvino, *As Institutas*, vol. 1, p. 61.

[33] Piper, *Supremacia de Deus na pregação*, p. 98.

em oração (Lc 6.20-49). Ele também teve o cuidado de ensinar seus discípulos a orar (Lc 11.1). A oração também precedeu os anúncios de Jesus acerca do estabelecimento da igreja e da outorga das chaves do reino (Mt 16.18-19; Lc 9.18), assim como precedeu o anúncio de sua futura vinda e a transfiguração, conforme o relato de Lucas (Lc 9.18-35).

De acordo com Bounds, antes de se preocupar em elaborar um esboço, o ministro do evangelho deveria preparar o coração, e a melhor forma de fazê-lo é invocando o nome do Senhor. O preparo da alma é fundamental, independentemente do pregador usar ou não esboços em suas exposições. Orando e moldando o coração ao Senhor o pregador será cheio de inteligência e intrepidez.

Homens que se dispõem a ser a voz de Deus não podem desassociar a tarefa de expor o texto sagrado do privilégio de orar, pois é árdua a missão de falar de alguém com quem não se conversa. Quem não aprendeu a falar com o Senhor em favor dos homens não pode transmitir-lhes com fidelidade a mensagem divina, pois dificilmente será usado pelo Espírito Santo nessas condições.

É inegável que todos os avanços na economia, na política e na cultura foram insuficientes para preencher o vazio no coração do homem natural, consequência do não cumprimento do propósito de sua existência: glorificar a Deus. Por isso, não há nada mais oportuno para este mundo do que homens consagrados e habilitados para subir ao púlpito e pregar o evangelho.

Não resta dúvida, portanto, de que a vida espiritual do pregador é tão importante quanto o seu preparo acadêmico. O preparo espiritual é o primeiro passo a ser dado. Antes de tudo a pessoa que se dispõe a pregar a Bíblia precisa conhecer o autor da Bíblia. Um pregador ímpio é comparável a um alcoólatra ensinando sobre abstinência. Quanto a isso, disse Swinnock: "É triste cair no inferno estando sob o púlpito, porém, que coisa terrível é cair de cima do púlpito para lá".[34]

Mas ser salvo não é o bastante. O pregador precisa ser habilitado para pregar, amar as Escrituras e ter uma vida de oração, a fim de expor o ensino da Palavra Santa.[35] É muito difícil alguém interpretar corretamente as Escrituras sem o auxílio do Espírito Santo.

[34] Citado em Fish, *Poder no púlpito*, p. 35.

[35] Pitman, *Preparing the Preacher*, p. 36-37.

A importância da pregação expositiva

O sermão expositivo deve ser consequência do trabalho exegético. A pregação expositiva é fruto do esmero do pregador em extrair o ensino do texto inspirado, pois, por vezes, prega-se, infelizmente, verdades bíblicas que o texto exposto não ensina. Portanto, é impossível pregar expositivamente, de modo correto, sem trabalho árduo.[36]

Spurgeon era de opinião que "o pregador tem urgente necessidade de estudar, pois o mestre de outros precisa instruir-se; e que subir ao púlpito normalmente despreparado é presunção imperdoável".[37] Mas antes de argumentarmos sobre a importância da pregação expositiva é necessário conceituá-la diante das bases argumentadas até aqui.

Há quem classifique os sermões em tópicos, textuais e expositivos. O sermão tópico seria aquele fundamentado em um tema, tendo suas divisões principais baseadas em textos diversos. O sermão textual teria suas divisões principais baseadas em um só texto, cuja perícope não deve ser maior do

[36] Ryrie, *Como pregar doutrinas bíblicas*, p. 71.

[37] Spurgeon, *Lições aos meus alunos*, vol. 1, p. 4-5.

que quatro versos. Já o sermão expositivo se basearia em um texto com mais de quatro versos.[38]

Segundo Greidanus, a expressão "pregação textual" surgiu para fazer distinção entre a pregação bíblica e uma pregação tópica que não fosse fruto de um trabalho exegético; a intenção da expressão nunca foi a de limitar o tamanho da perícope do texto estudado. Entretanto, a partir de um entendimento errôneo da expressão surgiu essa classificação de sermões acima mencionada.

Entendo que classificar sermões desse modo pode trazer mais dificuldades ao pregador do que benefícios, pois ao se dar ênfase ao secundário esquece-se do principal. O essencial é que toda mensagem deve ser fruto de oração e labuta. Todo sermão deve refletir a proposição do texto sagrado. Para isso o pregador precisa entender a perícope, o contexto, a estrutura e as palavras-chave do texto. Ou seja, toda mensagem deve ser expositiva, no sentido de que toda pregação deve ser exposição fiel do texto inspirado, independentemente do estilo do pregador. Por exemplo, se um pregador quiser apresentar uma mensagem

[38] Braga, *Como preparar mensagens bíblicas*, p. 17, 30, 47.

considerada tópica precisará fazer exegese de cada texto apresentado em suas divisões. Um sermão é expositivo qualquer que seja a extensão de sua perícope.[39]

Ainda conceituando pregação expositiva, não se pode confundi-la com homilia. A confusão ocorre porque quando é dito que os pregadores do século 16 pregavam expositivamente menciona-se que eles pregavam verso por verso. Mas embora tanto a homilia quanto a pregação expositiva façam uso da exposição verso por verso, esta última o faz sem negligenciar a estrutura exegética, o contexto e a perícope do texto.[40] Anglada afirma que os reformadores e também os puritanos pregavam sequencialmente para não correrem o risco de pregar seus textos prediletos, ou textos que apresentassem menores dificuldades.[41]

Acerca do uso que Calvino fazia de sermões expositivos, Ferreira escreve: "Em muitos casos, Calvino é um perfeito pregador expositivo, pois

[39] GREIDANUS, *Pregando a Cristo a partir do Antigo Testamento*, p. 263.

[40] Ibid., p. 263.

[41] ANGLADA, *Introdução à pregação reformada*, p. 148.

toma o texto e vai analisando e aplicando consecutivamente. Alguns dos seus sermões seriam modelos de Pregação Expositiva".[42]

Infelizmente, em vista do relativismo da cultura do mundo contemporâneo, a pregação expositiva não vem sendo praticada em boa parte dos púlpitos evangélicos. E, no entanto, as incertezas do mundo atual carecem justamente de uma palavra de autoridade, ainda que a sociedade não o admita. Paulo não hesitou em pregar a autoridade de Deus. O apóstolo elogiou os crentes tessalonicenses porque aceitaram sua mensagem e "não consideraram nossas palavras meras ideias humanas, mas as aceitaram como palavra de Deus, o que sem dúvida são. E essa mensagem continua a atuar em vocês, os que creem" (1Ts 2.13).

A autoridade das Escrituras, considerada no primeiro capítulo, é outro forte argumento em prol da pregação expositiva. O pregador deve ser fiel ao texto, expondo nada mais que o ensino desse texto, pois o Espírito age nos corações por meio do texto sagrado e sua exposição fiel, e não a partir de argumentos meramente humanos.

[42] Ferreira, *Calvino: vida, influência e teologia*, p. 164.

Alguns estudiosos da arte de pregar associam a pregação expositiva com a pregação sequencial de um livro das Escrituras, admitindo escolher as perícopes mais relevantes para a realidade de seus ouvintes.

Paulo Anglada enumera algumas vantagens de agir desse modo, a saber: 1) economiza o tempo do pregador; 2) é o método mais natural e razoável com relação a qualquer texto; 3) tende a produzir maior fidelidade ao texto; 4) propicia mensagens não meramente textuais, mas contextuais; 5) permite a pregação de todo o conselho de Deus, fornecendo equilíbrio à pregação; e 6) favorece o crescimento do pregador e dos ouvintes na graça e no conhecimento da Bíblia.[43]

E, embora não se possa limitar a pregação expositiva à exposição de toda a perícope ou à pregação em série, não há dúvidas de que quando se observa esses aspectos é mais fácil ser fiel na exposição, pregando todo o conselho de Deus. Com isso, a pregação é evidenciada como bíblica.[44]

[43] ANGLADA, *Introdução à pregação reformada*, p. 146-149.
[44] WILSON, *As quatro páginas do sermão*, p. 29.

A pregação cristocêntrica

Um dos princípios elementares da hermenêutica reformada é que toda pregação expositiva é cristocêntrica. Em 1Coríntios 2.2, Paulo escreve: "Porque decidi que, enquanto estivesse com vocês, me esqueceria de tudo exceto de Jesus Cristo, aquele que foi crucificado". O apóstolo Paulo apresentava Cristo em todas as suas pregações. Ele não forçava nem adulterava o texto para pregar Cristo, mas o pregava porque Cristo é encontrado, direta ou indiretamente, em toda a Bíblia. O centro das Escrituras é Cristo e seu sacrifício. Todo o desenvolvimento da revelação se deu mediante esse cerne, Cristo.

O princípio da pregação cristocêntrica foi defendido tanto na Reforma Protestante quanto no movimento puritano e teve como um de seus defensores João Calvino, embora os sermões do reformador sejam conhecidos pelo termo mais amplo de "teocêntricos". Os princípios e a essência da pregação cristocêntrica podem ser extraídos das próprias palavras de Jesus: "ninguém conhece verdadeiramente o Pai, a não ser o Filho e aqueles a quem o Filho escolhe revelá-lo" (Mt 11.27).

O puritano Isaac Ambrose resume a importância da pregação cristocêntrica da seguinte forma:

> (1) Cristo é a verdade e substância de todos os tipos e sombras. (2) Cristo é a substância e a matéria do pacto da graça e de toda a sua administração; sob o Antigo Testamento, Cristo estava oculto; sob o Novo Pacto, Ele foi revelado. (3) Cristo é o centro e o ponto de convergência de todas as promessas; pois nele as promessas de Deus acham o sim e o amém. (4) Cristo é a realidade simbolizada, selada e exibida nas ordenanças do Antigo e do Novo Testamento. (5) As genealogias bíblicas são usadas para conduzir-nos à verdadeira linhagem de Cristo. (6) As cronologias da Bíblia mostram-nos os tempos e épocas de Cristo. (7) As leis bíblicas são nosso mestre-escola para levar-nos a Cristo: as leis morais corrigindo; as leis cerimoniais apontando. (8) O evangelho da Bíblia é a luz de Cristo, mediante a qual nós O ouvimos e O seguimos [...]; as cordas do amor de Cristo, por meio das quais somos enlaçados a uma doce união e comunhão com Ele; sim, o próprio poder de Deus para a salvação de todo aquele que crê em Cristo Jesus. Portanto, devemos pensar em Cristo como a substância, a essência, a alma e o escopo de toda a Bíblia.[45]

[45]Anglada, *Introdução à hermenêutica reformada*, p. 100.

Diante do exposto a respeito de pregação cristocêntrica, concluímos que é impossível interpretar corretamente as Escrituras a não ser pelo entendimento de que a Bíblia é uma unidade cristocêntrica. Portanto, sermão cristocêntrico é sinômino de pregação bíblica, pregação fiel.

A pregação cristocêntrica tem tudo a ver com o progresso ou a história da redenção.[46] Apesar dos diferentes critérios adotados para determinar as citações ou alusões ao Antigo Testamento no Novo, o número dessas citações ou alusões é bastante significativo. De acordo com Kaiser, há 224 citações do Antigo Testamento no Novo, fora as citações indiretas.[47] E, conforme Hill, 32% do Novo Testamento constitui-se em citações ou alusões ao Antigo Testamento.[48]

Esse conceito de história da redenção ou revelação progressiva conecta Cristo a acontecimentos do Antigo Testamento.[49] Greidanus enumera

[46] Clowney, *Pregando Cristo em toda a Escritura*, p. 38.

[47] Kaiser e Silva, *An Introduction to Biblical Hermeneutics*, p. 216.

[48] Hill, *A Survey of the Old Testament*, p. 435.

[49] Goldsworthy, *Pregando toda a Bíblia como Escritura cristã*, p. 118.

alguns exemplos claros disso. Mateus iniciou seu Evangelho com uma genealogia de Jesus. Nessa genealogia o evangelista liga Jesus a Davi e também a Abraão. Lucas, por sua vez, remonta a genealogia de Jesus até Adão, elucidando o conceito defendido por Paulo de que Jesus, a exemplo de Adão, é nosso representante legal. Cristo é o segundo Adão (Rm 5.12-14).[50]

A história da redenção consiste, também, numa história unificada. As narrativas do Antigo Testamento, por exemplo, podem ser entendidas como história pessoal e nacional, mas é impossível não enxergá-las como história redentora.[51]

Cabe dizer, porém, que sermão cristocêntrico remete não a um método, meramente, mas a uma interpretação correta, centrada em Deus, e não no homem. Também para se interpretar corretamente o texto inspirado, cristocentricamente, é necessário que se recorra ao Espírito de Deus.

Em suma, toda pregação fiel mostra o contexto redentor das Escrituras, o que não quer dizer

[50] Greidanus, *Pregando Cristo a partir do Antigo Testamento*, p. 233-234.

[51] Ibid., p. 268-271.

que Cristo seja mencionado diretamente em todo e qualquer texto. Ainda assim, todo sermão deve ser cristocêntrico.[52]

Um dos maiores indicativos da urgência de uma retomada da pregação cristocêntrica é o pragmatismo visto na igreja contemporânea. Apesar de os pregadores atuais terem acesso a um grande número de ferramentas, os púlpitos em nossos dias parecem passar por um período de pobreza de instrução bíblica.

Muitos pregadores hoje não assumem o compromisso de confrontar o pecado mediante as Escrituras. Ao contrário, preferem preocupar-se mais com os resultados visíveis, com o que agrada às pessoas, do que com pregar o que é necessário para uma genuína transformação de conduta.

Gene Edward Veith Jr. expressou essa verdade da seguinte forma:

> Temos uma geração pouco interessada em argumentos racionais, pensamento linear, sistemas teológicos; e mais interessada em encontrar o sobrenatural. Em consequência, os frequentadores operam com um

[52] Chapell, *Pregação cristocêntrica*, p. 309.

> paradigma de espiritualidade diferente. O velho paradigma ensinava que se você receber a instrução certa vai experimentar Deus. O novo paradigma diz que se você experimentar Deus vai receber a instrução certa.[53]

A situação nos Estados Unidos descrita por Veith é bastante evidente também em nosso país. Embora estejamos numa época repleta de informação, o nível cultural no Brasil é ainda insatisfatório. Por isso, as pessoas não estão acostumadas a conferir ou questionar o que aprendem. Além do mais, convém considerar que o Brasil é tomado de misticismos, inclusive em círculos evangélicos, em que os fiéis estão mais preocupados com aquilo que alguém tem a "revelar" do que com o que é prescrito pelas Escrituras.

Há ainda outros aspectos envolvidos no pragmatismo religioso. Esse pragmatismo consiste em não se preocupar com os meios para se obter crescimento numérico da igreja. Os princípios bíblicos são relegados a segundo plano ou mesmo adulterados. Segundo Robinson, o pragmatismo e declínio

[53] Citado em Lopes, *A importância da pregação expositiva para o crescimento da igreja*, p. 81.

da pregação podem ser sumarizados nos seguintes pontos: falta de vitalidade espiritual da igreja; mudança da imagem do pregador; perda de confiança nas Escrituras; falta de bons modelos na arte da pregação; democratização da heresia; baixa expectativa da congregação; e o atual contexto social.[54]

A falta de vitalidade espiritual da igreja se dá pelo fato de ela se distanciar de sua natureza. A igreja está se distanciando de seu propósito de evangelizar e de edificar os crentes para tornar-se mais uma instituição que atenda e resolva anseios de toda sorte. Como uma empresa, seu interesse passou a ser o de satisfazer o cliente, para evitar que este migre para algum grupo concorrente. Em vez de a igreja procurar entender o mundo globalizado para lhe comunicar com eficácia a mensagem do evangelho, prefere simplesmente aderir aos conceitos tanto do individualismo como do pragmatismo deste mundo.

O pregador, assim, não é mais visto como servo de Deus comissionado para exercer prioritariamente o trabalho de expor com fidelidade e relevância as Escrituras. É considerado agora o gerente da

[54] Robinson, *Pregação bíblica*, p. 17-18.

igreja que atende os anseios dos clientes. E, como as pessoas estão mais interessadas em suas necessidades físicas do que nas espirituais, mesmo porque estão mortas para essas questões, muitos pregadores têm mudado o foco de seu ministério. Haselden descreve o quadro da seguinte forma:

> [...] o pastor surge como "um compósito insípido" da congregação: como escoteiro agradável, sempre prestativo, sempre pronto para ajudar; como o querido das senhoras idosas e como suficientemente reservado com as mais jovens; como a imagem paternal para os moços e o companheiro para os homens solitários; como o cordial recepcionista afável nos chás e nos almoços dos clubes cívicos.[55]

O problema não está no fato de o pregador ser agradável, prestativo e ter vida social com suas ovelhas, mas, sim, em não dar prioridade àquilo que é prioritário em seu ministério, que é expor as Escrituras. O tempo que o pregador deve investir no estudo das Escrituras não deve ser perdido em atividades sociais sem propósito, que escondem a ociosidade atrás de uma xícara de café. Haselden

[55] HASELDEN, *The Urgency of Preaching*, p. 88.

acrescenta que, se sua descrição da imagem contemporânea do pastor estiver correta, mesmo que as pessoas gostem dele como pessoa ele não será respeitado como pastor.[56]

Todas essas falhas ocorrem pela tentativa da igreja de moldar-se ao mundo, pregando uma mensagem antropocêntrica em vez de cristocêntrica. Por isso, infelizmente, as Escrituras têm ficado em segundo plano em muitos círculos evangélicos. Daí Lloyd-Jones alegar que "a necessidade mais urgente na igreja cristã hoje é a pregação autêntica; por ser a necessidade maior e mais urgente da igreja é, evidentemente, a maior necessidade do mundo".[57] O fato é que a igreja não tem observado as palavras do apóstolo Paulo: "Não imitem o comportamento e os costumes deste mundo, mas deixem que Deus os transforme por meio de uma mudança em seu modo de pensar, a fim de que experimentem a boa, agradável e perfeita vontade de Deus para vocês" (Rm 12.2).

Todos esses aspectos comentados implicam também outras razões para a decadência da

[56] Ibid., p. 89

[57] Lloyd-Jones, *Pregação e pregadores*, p. 7.

pregação, já citadas: a perda de confiança nas Escrituras; a falta de bons modelos na arte da pregação; a democratização da heresia; a baixa expectativa da congregação e o contexto social atual. Como que num círculo vicioso, um ponto leva ao outro, com o que a igreja tem sido descaracterizada e a pregação, negligenciada.

Diante da violência, das injustiças sociais e da imoralidade do mundo, e desse quadro que assola grande parte dos púlpitos, fica evidente a grande necessidade de que os púlpitos estejam repletos de exposições fiéis das Escrituras. Pois o púlpito não é uma plataforma de relações públicas, mas um trono de onde se deve proclamar fielmente todo o conselho de Deus na autoridade do Espírito Santo.

A importância da aplicação

A relevância da mensagem bíblica fica mais evidente a partir de uma boa aplicação. Pode-se afirmar, conforme Jay Adams, que a pregação não é meramente a proclamação da verdade, e sim a aplicação da verdade.[58]

[58] Adams, *Truth Applied*, p. 39.

A pregação expositiva consiste em explanação e aplicação de uma passagem da Escritura. Sem explicação não é expositiva; sem aplicação não é pregação, afirma Parker.[59] Anglada conclui que com o mesmo esmero com que o pregador extrai a mensagem genuína do texto bíblico deve, também, tornar a mensagem aplicável a sua congregação, sem, contudo, adulterar seu sentido original.[60] E essa pregação consiste em ler a Palavra e explicá-la de modo que as pessoas entendam.[61]

O apóstolo Paulo adaptava suas pregações ao público e à ocasião. Em Listra, diante de idólatras e incultos, usou uma linguagem simples (At 16.1-5). Em Atenas, no Areópago, usou argumentos e linguagem refinados (At 17.16-31).

Escrevendo sobre a aplicação do sermão, diz Calvino:

> Se eu subir ao púlpito sem haver me dignado a considerar o texto e, de maneira frívola, imaginar "Tudo bem! Na hora Deus me dará o suficiente que falar",

[59] Parker, *Calvin's Preaching*, p. 49.

[60] Anglada, *Introdução à hermenêutica reformada*, p. 130.

[61] Citado em Parker, *Calvin's Preaching*, p. 81, 60.

> e não me der ao trabalho de ler ou pensar sobre o que desejo falar, e vier aqui sem ponderar cuidadosamente sobre como deverei aplicar as Escrituras Sagradas para a edificação do povo — bem, então eu não passarei de um grande charlatão, e Deus me deixará em confusão na minha audácia.[62]

Para fazermos uma boa aplicação é necessário entender qual foi o propósito do escritor bíblico e de que forma ele enfoca a condição pecaminosa da humanidade. Conforme já considerado, a exegese e a atuação do Espírito Santo são fundamentais para isso.

Calvino era simples e direto em suas aplicações. Ralph Lewis apresenta o seguinte acerca das aplicações que Calvino fazia em suas exposições:

> Seus sermões espontâneos demonstram preocupação com todos os aspectos das relações humanas, com muita energia despendida em questões sociais. [...] Seus sermões não têm humor nem imaginação [*sic*], porém suas palavras simples, breves e diretas são adequadas aos ouvintes simples de sua pregação diária. Ele usa exemplos da fazenda, vinicultura,

[62] Ibid., p. 81.

cozinha e vida urbana com expressões vigorosas, analogias, provérbios e diálogos realistas.[63]

Uma boa aplicação faz uso de exemplos do dia a dia, de modo que a mensagem do texto bíblico fique clara. Esse elemento do sermão serve para simplificar e não para entreter ou tirar o foco do texto exposto.

Robinson fala a respeito da importância do pregador salientar para a congregação a grande ideia do texto, antes de fazer sua aplicação. Ele ilustra isso dizendo que um sermão deve ser uma bala e não um chumbo grosso.[64] Algumas perguntas, como "por que o autor escreveu o livro?" e "qual o efeito que o texto ocasionou no destinatário original?", podem ajudar o pregador a ser fiel à intenção do texto sagrado.[65]

O conceito de revelação progressiva também é fundamental para fazer uma boa aplicação. É importante que o pregador conheça o desenvolvimento que a história da redenção teve nas

[63] Lewis, *Pregação indutiva*, p. 297-298.

[64] Robinson, *Pregação bíblica*, p. 37.

[65] Greidanus, *O pregador contemporâneo e o texto antigo*, p. 148.

Escrituras, a fim de que o texto sagrado seja visto como uma unidade e seja corretamente interpretado e aplicado.

Entretanto, é impossível estudar o grupo a quem o sermão será pregado sem procurar entender o contexto do mundo atual, do mundo globalizado. A cada vinte anos o conhecimento científico e tecnológico dobra, crescendo assustadoramente. Meu professor Jerram Barrs entende que, talvez, os pastores precisem, de tempos em tempos, da convivência com alunos em ambientes universitários para conhecer o vocabulário de seu tempo.[66] Assim, conhecendo o mundo contemporâneo e interpretando corretamente o texto sagrado, poderão pregar de modo que os termos escriturísticos não sejam linguagem obscura, mas preencham, mediante a atuação do Espírito Santo, a lacuna do coração do homem, respondendo às indagações humanas e comunicando claramente o propósito de nossa existência: glorificar a Deus e desfrutá-lo para sempre.

Considerando que aplicar a mensagem bíblica é traduzir fielmente em termos práticos o ensino

[66] Barrs, *A essência da evangelização*, p. 131.

do texto e sua importância para o tempo atual, Doriani afirma que se o pior crime do pregador é o de promover a heresia, o penúltimo pior é tornar a fé maçante.[67]

Muitas pessoas desassociam a pregação bíblica da praticidade. No entanto, é incoerente falar de pregação bíblica sem fidelidade e praticidade. A pregação fiel das Escrituras consiste em não desassociar a relevância da mensagem para o mundo contemporâneo da mensagem original do autor. Para isso, o pregador necessita do Espírito tanto para interpretar o texto quanto para aplicá-lo a sua congregação.[68]

Defendendo a ideia de que a causa de muitos cristãos norte-americanos viverem de modo incoerente com as Escrituras é a irrelevância dos sermões pregados pela maioria dos pregadores, Bryan Chapell enumera algumas das funções da aplicação do sermão, das quais se podem destacar duas. A primeira é que a aplicação cumpre os objetivos da exposição. A pregação não tem o propósito de exibir a erudição do pregador, ou apenas

[67] Doriani, *A verdade na prática*, p. 115.

[68] Anglada, *Introdução à hermenêutica reformada*, p, 130.

dirimir as dificuldades do texto. Um sermão, por mais fiel que tenha sido ao texto bíblico, se não tiver aplicação não cumpre o seu propósito.

Outra função é justificar a exposição. Um sermão não deve ser pregado apenas porque é domingo, ou porque o texto jamais foi exposto pelo pregador, mas deve ser pregado para transmitir uma mensagem específica. Portanto, a aplicação à realidade da congregação, ou às diversas situações representadas pelos ouvintes, deixa clara a necessidade por que determinado sermão teve de ser exposto.[69]

O fato é que informação sem aplicação gera frustração. Um sermão bem elaborado carece de aplicação boa e apropriada. O trabalho exegético não deve ser desperdiçado com a ausência de aplicação. As pregações não devem consistir de mero trabalho informativo, pois é inteiramente possível e necessário conciliar academicismo com praticidade.[70]

Portanto, a Bíblia tem resposta para as indagações humanas, desde que se entenda o contexto

[69] CHAPELL, *Pregação cristocêntrica*, p. 217.

[70] Ibid., p. 51.

contemporâneo e se apliquem cuidadosamente os princípios bíblicos à realidade da época. Também, para isso, é necessário entender o conflito entre gerações (Ml 4.5-6) e as diferentes cosmovisões possivelmente existentes em uma congregação para se comunicar e aplicar com clareza a Palavra do Senhor.[71]

Enfim, tanto a necessidade de uma pregação expositiva como a importância de uma aplicação simples e direta se dão pela premissa de que a fiel exposição das Escrituras também é Palavra de Deus. Portanto, pregar o texto sagrado representa um grande privilégio, mas também uma grande responsabilidade.

[71] Larsen, "Ministério pastoral no mundo globalizado".

Conclusão

Ao concluir este livro, vêm à tona o fato de a Bíblia ser a revelação de Deus para a humanidade e a importância de homens, devidamente habilitados, interpretarem-na corretamente. Ser incumbido para esse ministério é um tremendo privilégio e uma imensa responsabilidade, por ser a pregação uma grande necessidade para a igreja e para o mundo.

Enfatizamos neste livro que a pregação expositiva é aquela revestida da autoridade de Deus por ser a explicação da revelação especial e o veículo para a transformação de vidas, e essa autoridade não lhe é intrínseca, mas decorre da inspiração das Escrituras. Essa premissa foi evidenciada por princípios extraídos do Antigo e Novo Testamentos e, também, a partir da prática eclesiástica representada por pregadores de grande expressão ao longo da história.

Foram consideradas ainda algumas implicações da pregação como Palavra de Deus. Pudemos observar que, devido à natureza da pregação, não é qualquer pessoa que pode se colocar como voz de Deus. É necessária uma dotação divina e, mesmo no caso de alguém pregar esporadicamente, sem exercer a função de pregador, uma autorização para tal tarefa.

Outra implicação considerada foi a necessidade de uma correta interpretação do texto sagrado, que consiste em um trabalho ao mesmo tempo acadêmico e espiritual. O Espírito de Deus transmite a vontade divina através da interpretação correta do texto bíblico, mediante o trabalho da exegese e da oração feitos pelo pregador.

A importância da pregação expositiva foi apresentada, também, como uma dessas implicações. Conceituou-se pregação expositiva como aquela que tem o propósito de apresentar o significado original do texto, resultado de uma exegese, independentemente da extensão da perícope, considerando seu contexto e aplicando-o aos ouvintes contemporâneos. A pregação expositiva não é um método, é uma visão correta da essência da pregação, um compromisso assumido pelo pregador. Todo sermão fiel é expositivo, independentemente do estilo do pregador.

O relativismo da cultura do mundo contemporâneo e a autoridade das Escrituras foram mostrados como argumentos em prol da apresentação de sermões expositivos. A Bíblia confronta nossa era e responde satisfatoriamente a suas indagações.

A interpretação correta das Escrituras será sempre cristocêntrica. Essa é uma das implicações da pregação ser Palavra de Deus. A pregação cristocêntrica foi conceituada como uma pregação que ressalta que a Bíblia é uma revelação progressiva que apresenta a história da redenção contrapondo-se à pregação antropocêntrica tão praticada hoje em dia. Considerou-se que mesmo um texto que não apresenta o sacrifício vicário de Cristo claramente poderá fazer-lhe referência em sua aplicação, uma vez que o Senhor Jesus é o cerne de toda a Escritura. Ainda, argumentou-se que a importância de se pregar um sermão cristocêntrico se dá pelo fato de a regeneração ser efetuada no coração dos ouvintes a partir da mensagem de Cristo.

Finalmente, como última implicação, foi apresentada a importância da aplicação, pois é incoerente falar de pregação bíblica sem fidelidade e praticidade. A pregação fiel das Escrituras consiste em não desassociar a relevância da mensagem para o mundo contemporâneo da mensagem original do autor.

Que a natureza, relevância e urgência da pregação fiel das Escrituras, a pregação expositiva, conduzam os homens dotados para expor o texto sagrado a um trabalho zeloso, que leve o mundo a conhecer a Deus e leve a igreja à edificação. E que, assim, Deus seja louvado.

Referências bibliográficas

Adams, Jay. *Truth Applied: Application in Preaching*. Grand Rapids, MI: Zondervan, 1990.

Anglada, Paulo. *Introdução à hermenêutica reformada*. Ananindeua, PA: Knox Publicações, 2006.

______. *Introdução à pregação reformada*. Ananindeua, PA: Knox Publicações, 2005.

______. "Vox Dei: A teologia reformada da pregação." *Fides Reformata*, 4/1, 1999;

Arakaki, Ricardo A. *Homilética: Teologia prática*. São Paulo: Fonte Editorial, 2013.

Barrs, Jerram. *A essência da evangelização*. São Paulo: Cultura Cristã, 2004.

Bausells, Adrien. *A jornada da pregação: Do texto ao púlpito*. Rio de Janeiro: Thomas Nelson Brasil, 2022.

Bounds, Edward M. *Poder através da oração*. São Paulo: Imprensa Batista Regular, 1986.

Braga, James. *Como preparar mensagens bíblicas*. São Paulo: Vida, 1997.

Broadus, John. A. *Historia de la Predicacion*. El Paso, TX: Casa Bautista de Publicaciones.

CALVIN, John. *Commentary on the Acts of the Apostles.* Albany, OR: Ages, 1998.

______. *Commentary on the Book of the Prophet Isaiah, vol. IV*, Calvin's Commentaries, vol. VIII. Grand Rapids, MI: Baker Books, 2003.

CALVINO, João. *As Institutas*, vols.1 e 2, trad. Odayr Olivetti. São Paulo: Cultura Cristã, 2006.

______. *Instrução na fé*. Goiânia: Logos, 2004.

______. *Romanos.* São Paulo: Paracletos, 1997.

CHAPELL, Bryan. *Pregação cristocêntrica: Um guia prático e teológico para a pregação expositiva.* São Paulo: Cultura Cristã, 2002.

CHEUNG, Vincent. "A Bíblia, o pregador e o Espírito." *Monergismo*. <http://www.monergismo.com/textos/bibliologia/biblia_espirito_cheung.pdf>. Acesso em 20 de julho de 2022.

CLOWNEY, Edmund. *Pregando Cristo em toda a Escritura.* São Paulo: Vida Nova, 2021.

D'AUBIGNÉ, J. H. M. *History of Reformation in Europe in the Time of Calvin*, vol. 2. Edinburgh: The Banner of Truth Trust, 1994.

DE AQUINO, João Paulo Thomaz. *Pregue para a glória de Deus*. Eusébio, CE: Peregrino, 2019.

DEVER, Mark et. al. *A pregação da cruz*. São Paulo: Cultura Cristã, 2010.

DEVER, Mark; GILBERT, Greg. *Pregue: Quando a teologia encontra-se com a prática.* São José dos Campos, SP: Fiel, 2012.

Doriani, Dan. *A verdade na prática*. São Paulo: Cultura Cristã, 2007.

Eswine, Zack. *Preaching to a Post-Everything World: Crafting Biblical Sermons That Connect with Our Culture*. Grand Rapids, MI: Baker Book, 2008.

Fant, C. E. *20 Centuries of Great Preaching*. In: *Encyclopedia of Preaching*, vol. 2. Waco: Word Books, 1971.

Ferreira, W. C. *Calvino: vida, influência e teologia*. Campinas, SP: Luz Para o Caminho, 1990.

Fish, H. C. *Poder no Púlpito*. São Paulo: Publicações Evangélicas Selecionadas, s.d.

Goldsworthy, Graeme. *Pregando toda a Bíblia como Escritura Cristã*. São José dos Campos, SP: Fiel, 2018.

Greidanus, Sidney. *O pregador contemporâneo e o texto antigo*. São Paulo: Cultura Cristã, 2006.

______. *Pregando Cristo a partir do Antigo Testamento: Um método hermenêutico contemporâneo*, 2ª ed. São Paulo: Cultura Cristã, 2006.

Guffin, Gilbert. L. *Called of God: The Work of Ministry*. Boston: Christopher Publishing House, 1951.

Haselden, Kyle. *Urgency of Preaching*. New York: Harper & Row, 1963.

Kaiser, Walter. C.; Silva, Moisés. *An Introduction to Biblical Hermeneutics: The Search for Meaning*. Grand Rapids: Zondervan, 1994.

Keller, Timothy. *Pregação: Comunicando a fé na era do ceticismo*. São Paulo: Vida Nova, 2017.

Kidner, Derek. *Esdras e Neemias: Introdução e Comentário*, Série Cultura Bíblica. *São Paulo: Vida Nova*, 1985.

Larsen, David. L. *The Anatomy of Preaching: Identifying the Issues in Preaching Today*. Grand Rapids, MI: Kregel, 1999.

Larsen, Samuel. "Ministério Pastoral no Mundo Globalizado", anotações de sala de aula. São Paulo: Centro Presbiteriano de Pós-Graduação Andrew Jumper, 2008.

Lewis, Ralph. *Pregação indutiva: Como pregar de modo que as pessoas ouçam*. São Paulo: Cultura Cristã, 2003.

Lloyd-Jones, D. Martyn. *Pregação e pregadores*. São José dos Campos, SP: Fiel, 1998.

Lopes, Hernandes. D. *A importância da pregação expositiva para o crescimento da igreja*. São Paulo: Candeia, 2004.

Lutero, Martinho. *Obras selecionadas*, vol. 7. São Leopoldo, RS: Sinodal, 2000.

Michelén, Sugel. *Da parte de Deus e na presença de Deus: Um guia para a pregação expositiva*. São José dos Campos, SP: Fiel, 2018.

Mohler, Jr., Albert. *Deus não está em silêncio: Pregando em um mundo pós-moderno*. São José dos Campos, SP: Fiel, 2011.

Parker, T. H. L. *Calvin's Preaching*. Louisville, KY: Westminster John Knox Press, 1992.

Piper, John. *Supremacia de Deus na pregação: Teologia, estratégia e espiritualidade do ministério de púlpito.* São Paulo: Shedd Publicações, 2003.

Pitman, Robert. C. "Preparing the Preacher." Preaching.com, <https://www.preaching.com/articles/preparing-the-preacher/>. Acesso em 20 de julho de 2022.

Ryrie, Charles C. *Como pregar doutrinas bíblicas.* São Paulo: Mundo Cristão, 2007.

Robinson, Haddon W. *Pregação bíblica: O desenvolvimento e a entrega de sermões expositivos.* São Paulo: Shedd Publicações, 2003.

Ross, Michael F. *Preaching Revitalization: How to Revitalise Your Church Through Your Pulpit.* Fearn, UK: Mentor, 2006.

Sangster, William E. *The Craft of Sermon Construction.* Londres: Epworth, 1954.

Schreiter, Robert J. *A nova catolicidade: A teologia entre o global e o local.* São Paulo: Loyola, 1998.

Símbolos de Fé de Westminster. *Confissão de fé, O Catecismo Maior, O Breve Catecismo.* São Paulo: Casa Editora Presbiteriana, 1991.

Smith, Oswald J. *The Man God Uses.* Londres: Marshall, Morgan, & Scott, 1932.

Spurgeon, Charles H. *Lições aos meus alunos*, vols. 1 e 2. São Paulo: Publicações Evangélicas Selecionadas, 1980.

Olyott, Stuart. *Pregação pura e simples.* São José dos Campos, SP: Fiel, 2008.

Vines, Jerry; Shaddix, Jim. *Power in the Pulpit: How to Prepare and Deliver Expository Sermons.* Chicago: Moody Publishers, 1999.

Wiersbe, Warren W. *Preaching and Teaching with Imagination: The Quest for Biblical Ministry.* Grand Rapids, MI: Baker, 1994.

Wilson, Paul Scott. *As quatro páginas do sermão: Um guia para a pregação bíblica*. Edição ampliada e revisada. São Paulo: Vida Nova, 2020.

Sobre o autor

Jubal Gonçalves é pastor presbiteriano e professor na área de Pregação. É bacharel em Teologia pelo Seminário Presbiteriano Conservador e pela Universidade Presbiteriana Mackenzie, pós-graduado em Língua Portuguesa e Literatura também pelo Mackenzie, mestre em Teologia Pastoral com ênfase em Pregação pelo Centro Presbiteriano de Pós-Graduação Andrew Jumper, e aluno no programa de Estudos Doutorais em Ministério (D.Min) pelo Seminário Teológico Servo de Cristo.

Obras da Curadoria Sementes:

- *Amizade*, de Tiago Abdalla T. Neto
- *Doidos por discernimento*, de Tiago Cavaco
- *Igreja revitalizada*, de Leandro Silva
- *Mulheres da Bíblia em literatura de cordel*, de Gilmara Michael
- *Neocalvinismo*, de Tiago de Melo Novais
- *O protagonismo da Bíblia*, de Estevan F. Kirschner

Compartilhe suas impressões de leitura,
mencionando o título da obra, pelo e-mail
opiniao-do-leitor@mundocristao.com.br
ou por nossas redes sociais

Esta obra foi composta com tipografia Calluna
e impressa em papel Pólen Natural 70 g/m² na gráfica Eskenazi